✓ **W9-DCW-205**

CHECK FOR AUDIO CD IN FRONT OF BOOK

OFFICIALLY NOTED

Pen mark on Date Due
Pocket + Rust-colored?
Stain on inside front
cover 3/18

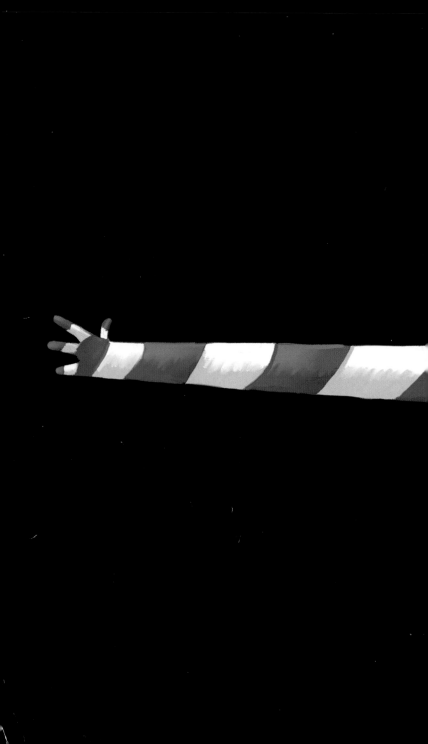

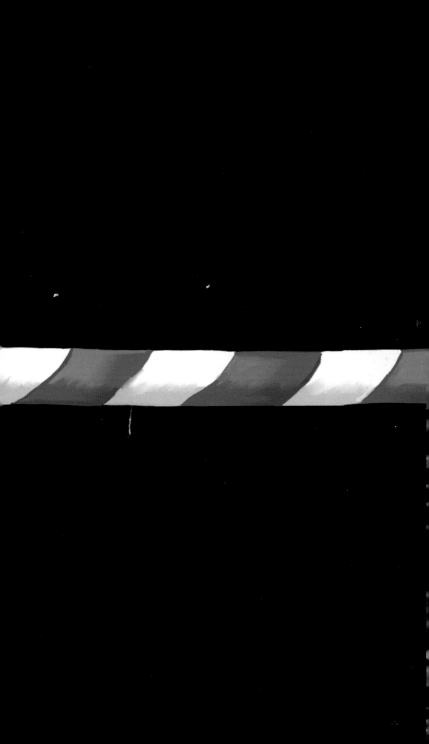

Teléfono: 1946-0620
Fax: 1946-0655
e-mail: ediciones@editorialprogreso.com.mx
e-mail: servicioalcliente@editorialprogreso.com.mx

Desarrollo editorial: Víctor Guzmán Zúñiga
Dirección editorial: Yolanda Tapia Felipe
Coordinación de diseño: Rigoberto Rosales Alva
Diseño: María del Rosario García Segundo
Ilustración: David Peon

(J-SPAN)
JCD KIT
MUR

Nueve patas
(Colección Rehilete)

Miembro de la Cámara Nacional de la Industria Editorial Mexicana
Registro No. 232

397-7579

ISBN: 978-970-641-837-1 *(Colección Rehilete)*
ISBN: 978-970-641-644-5

Impreso en México
Printed in Mexico

1ª edición: 2005
2ª reimpresión: 2008

Este libro fue escrito gracias al apoyo del Sistema
Nacional de Creadores de Arte

Nueve patas

Verónica Murguía

Ilustraciones de David Peon

Para Alejandra Piastro García

En el fondo del jardín de la señora Lupe viven muchos animales. Es un jardín pequeño, y en una esquina oscura y húmeda, la señora ha amontonado cinco latas de chiles que piensa convertir en macetas, seis botellas vacías de refresco que siempre olvida llevar a la tienda, una escoba a la que se le rompió el mango y dos tabiques.

Cada vez que la señora Lupe mira el rincón, dice:

—¡Uy, qué barbaridad, ya no sé ni para qué quería los tabiques…! Un día voy a tirar todo esto a la basura. Pero hoy no. Ahorita apenas me da tiempo de terminar la comida.

Al oír que la señora Lupe murmura esas palabras, algunos inquilinos del rincón se preocupan muchísimo.

—¿Oíste Lagarfio? Y si tiran todo esto, ¿dónde vamos a vivir? —pregunta Ligarda,

la lagartija verde, a su marido, mientras barre la entrada de uno de los tabiques.

Lagarfio, un deportista muy disciplinado al que no le gusta que lo interrumpan mientras hace sus mil lagartijas diarias, contesta:

—Ay, Ligarda, yo no sé para qué te agobias… la señora lleva meses diciendo que va a sacar todo y no hace nada. Si la suerte nos ayuda, ya vendrá a arrumbar aquí el triciclo roto de su nieto y me podré construir un gimnasio donde pueda practicar barras paralelas.

La familia de tórtolas desde su nido en las ramas más altas de la jacaranda, levantan el pico en gesto de desprecio y dicen:

—A nosotros, como vivimos en este departamento de lujo, no nos importa si la señora Lupe limpia ese mugrero. Incluso nos gustaría.

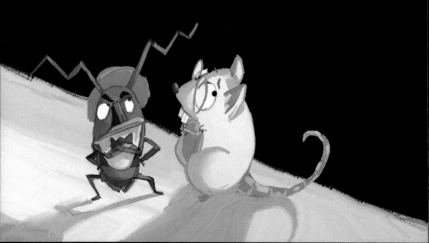

Pero para las arañas, las lagartijas, una que otra cucaracha y un ratón muy tímido y educado que se llama Chipilín, las decisiones de la señora Lupe son de mucha importancia.

Sobre todo para la araña Anapisa, pues había puesto cuatro huevos que estaban a punto de romperse. La telaraña de Anapisa era una obra maestra de tejido, instalada entre dos botellas de refresco. Parecía una estrella. En las mañanas, cubierta de rocío, brillaba como si estuviera hecha de hilos de plata. En medio estaban los cuatro huevos.

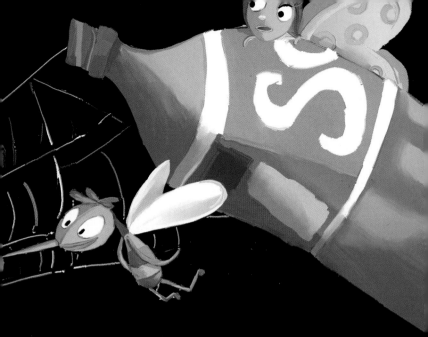

Hasta las cucarachas, tan poco
aficionadas al arte, se detenían a mirar la
telaraña.

A las mariposas y moscas les daba
miedo, claro, pero también admiraban su
belleza.

—¡Qué bonita, qué bien hecha! —decía
en pleno vuelo una mosca, asombrada.

—Muy linda, pero peligrosa, así que
no te acerques —contestaba Borboleta,
la mariposa.

Anapisa se llenaba de orgullo al oír esos comentarios. Pero secretamente estaba alarmada: uno de los huevos era muy distinto de los otros. Amarillo y decorado con estrellas rojas, parecía un caramelo que hubiera caído por accidente en la telaraña. Además de ser de colores, era más grande de lo normal.

—Mira nomás qué hijo tan raro vas a tener —escuchó que decía Malvaduca, la

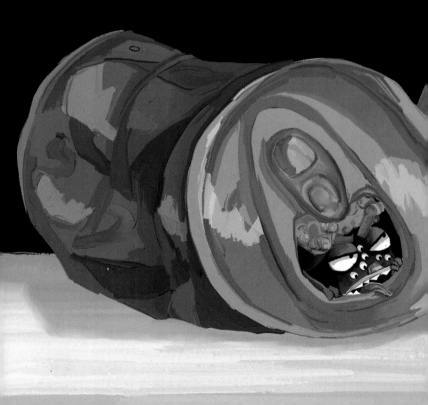

viuda negra, desde la lata oxidada
donde vivía, oculta y alejada de todos.
    Como las viudas negras son arañas
muy venenosas y peleoneras, Anapisa
no contestaba. Ella era una araña
verde y pacífica, a la que no le gustaban
los problemas. Igual que al resto de los
animales, el carácter y el veneno
de Malvaduca le daban miedo.

Pero Malvaduca era insistente:
—Estrellas rojas sobre fondo amarillo…
Nunca una araña decente ha salido de un
huevo tan exhibicionista —decía, mientras
se comía un mosquito sin usar tenedor y
masticando con la boca abierta.

Añapisa solo suspiraba. Aunque Malvaduca era la menos indicada para hablar de compostura, a ella también le extrañaba el colorido diseño del huevo.

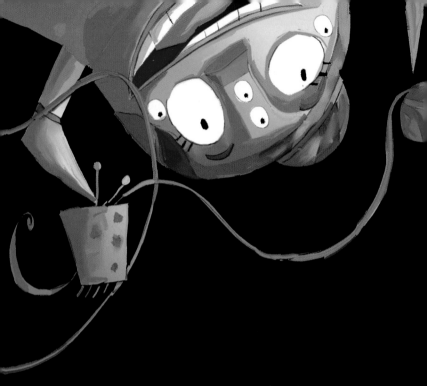

Una mañana, mientras las lagartijas
tomaban el sol sobre la barda y las tórtolas
dormitaban en su nido, las arañitas salieron
de los huevos.

Anapisa había bajado, colgada de
un hilo como acostumbran las arañas, a
buscar una ramita para hacer crochet.
Cuando regresó, descubrió con alegría

que las crías iban de un lado a otro de la telaraña. Como todas las mamás del mundo, lo primero que hizo fue contarles las patas a sus hijas.

—Ocho, ocho, ocho…. ¿nueve? —se preguntó Anapisa, llevándose cuatro patas a la cabeza con gesto de preocupación.

Pues sí. Una de las arañitas tenía nueve patas. Y la novena pata no sólo estaba de más, sino que era blanca y con rayas rojas. Parecía un caramelo.

La arañita, contenta de conocer a su madre, la abrazó con todas las patas. Era muy cariñosa.

Anapisa, naturalmente, la llamó Nueve Patas.

Malvaloca, al darse cuenta de la particularidad de la arañita, hizo muy tóxicos comentarios:

—¡Qué fea esa pata! ¡Parece que traes puesto un calcetín de bruja, niña tonta! —decía cuando la pobre de Nueve Patas pasaba cerca de ella.

Nueve Patas lloraba lágrimas moradas.

—No le hagas caso, Nueve Patas. Es una viuda negra, por eso es tan venenosa —la consolaba Anapisa.

—Además —se oyó la vocecita de
Chipilín— tu pata extra es muy original.
Me recuerda un adorno de Navidad.
Y el nueve es mi número de la suerte.
¡No llores, arañita!

—¡Cállate, ratón metiche! —gritó la viuda negra.

Chipilín, al que Malvaduca inspiraba mucho miedo, se escabulló detrás de las latas oxidadas.

Ligarda, a quien le daba pena la expresión triste de Nueve Patas, le dijo:

—Tú no te agobies, nena. Cuando yo era una lagartijita, mi mamá me contó un

cuento que se llama *El patito feo.* El patito
ese, a quien todos los habitantes del
estanque llamaban PATO FEO, no era un
pato. Era un cisne, y cuando creció dejó a
todos mudos, pues se convirtió en un ave
de gran belleza.

—¡Pero yo quiero ser una araña como mis hermanas o mi mamá! —gimió Nueve Patas—. ¡No quiero pertenecer a otra especie!

—A lo mejor eres un alacrán, y tu pata extra es en realidad un aguijón. A lo mejor tu cuento se va a llamar *Nueve Patas, la bella alacrana* —comentó Chipilín.

Nueve l días comenzó a hacer pucheros.

—¡Claro que no! —dijo Anapisa—.
¡Esta niña es tan araña como yo, sólo que
un poco rara! ¿Qué no ves? ¡No tiene ni
las pinzas ni la cola de los alacranes…!

Una de las tórtolas que miraba
la lejanía, posada sobre la orilla de
su nido, interrumpió la discusión con esta
antipática frase:

—¡Por fin este vecindario va a subir de categoría!

Se escucharon pasos retumbantes.

Era doña Lupe, armada con una escoba nueva en una mano y una manguera enrollada en la otra. Una cubeta llena de implementos de limpieza le colgaba de la muñeca, como una bolsa de lujo. La señora, cantando alegremente, roció de jabón en polvo los tabiques y las botellas, atornilló la manguera y apuntó con la boquilla hacia la telaraña de Anapisa.

un chorro de agua fresca y limpia destruyó la obra maestra de la pobre araña y derribó las latas donde vivían Anapisa, el ratón y las lagartijas.

Los animales, asustadísimos, huyeron rápidamente.

El ratón Chipilín se metió entre las raíces de la jacaranda, para disgusto de las tórtolas; las lagartijas treparon por la barda; las cucarachas se escabulleron por un agujero en la pared. Anapisa y sus hijas tendieron largos hilos y se colgaron del tronco de un pino que se levantaba en la calle y extendía sus ramas sobre el patio. Nadie se acordó de la viuda negra hasta que oyeron su voz cascada, pidiendo ayuda.

—¡Auxilio! —gritó Malvaduca, flotando sobre una burbuja.

Nueve Patas, cuyo hilo colgaba exactamente sobre la viuda negra, exclamó:

—¡Aguanta, Malvaduca! ¡Ahorita bajo y te enganchas de mi pata!

—¡No! —gritó Chipilín desde las raíces de la jacaranda.

—¡Espérate, Nueve Patas! —ordenó
Anapisa a su hija.

—¡Cuidado con Malvaduca! —intervino
una de las tórtolas.

Todos se sorprendieron, pues las tórtolas
siempre actuaban como si ignoraran los
nombres de sus vecinos.

—¡Ayúdame, niña, por favor! —suplicó Malvaduca—. ¡No sé nadar!

Nueve Patas se balanceaba, indecisa, sobre Malvaduca. La burbuja estaba a punto de estallar, y cuando eso pasara, la viuda negra se iría a la coladera en un río de agua jabonosa.

Mientras, doña Lupe, que no sabía nada
del drama que se desarrollaba bajo sus
narices, llenaba la cubeta con la manguera.
   Ligarda se acercó y, alarmadísima, dijo:
   —Nueve Patas, además de la historia de
El patito feo, mi mamá me contó el cuento
de *El alacrán y la rana.* Un alacrán le pidió
a una rana que lo pasara al otro lado del
río, y le prometió no picarla… ¡Pero como
no pudo evitar ser malo y venenoso, picó a
la pobre rana y se ahogaron los dos!

—Pero yo no la voy a picar… ¡Lo aseguro! ¡Buaaa! —lloró Malvaduca.

Nueve Patas subió al nido de las tórtolas por su hilo, rápida como un relámpago. Antes de que los presumidos pajaritos pudieran protestar, tomó entre sus patas una rama larga y flexible y bajó por el hilo hasta casi quedar sobre Malvaduca.

Con su larga pata bicolor, la arañita tendió la rama

sobre la viuda negra. En ese momento, la
burbuja de jabón estalló con un leve ¡pop!
¡Malvaduca quedó colgada de la rama!
—¡Nueve Patas, suéltala! —gritó la
araña Anapisa, pálida como una larva.

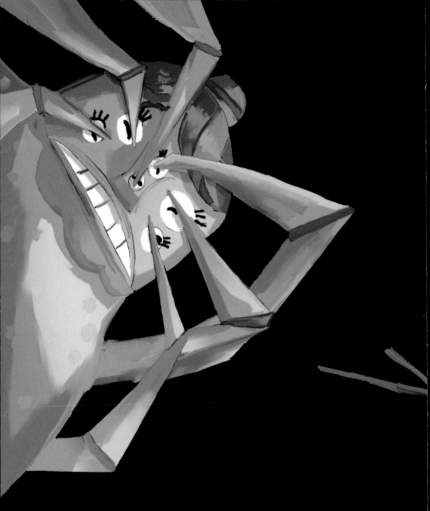

—Voy, ma, espérame —contestó Nueve
Patas, balanceándose con toda el alma.
Cuando estaba sobre la banqueta,
Nueve Patas soltó la rama. Anapisa se tapó
los seis ojos con sus ocho patas.
Malvaduca cayó sobre un rosal.

—¡Niña! ¡Qué falta de respeto! ¿Qué no ves que huele horrible aquí? Olvídense de mí... me voy a vivir debajo del basurero del parque —refunfuñó.

La mancha roja de la panza de Malvaduca brilló como un semáforo.

Todos rieron, hasta las tórtolas.

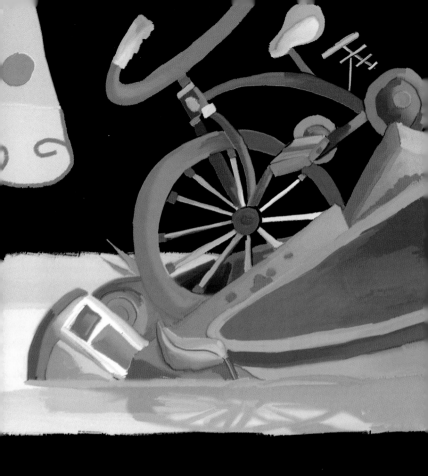

Doña Lupe limpió el rincón. Pero a las dos semanas, tal y como Lagarfio había predicho, el triciclo roto de su nieto fue a parar al recoveco, junto con una palangana de plástico

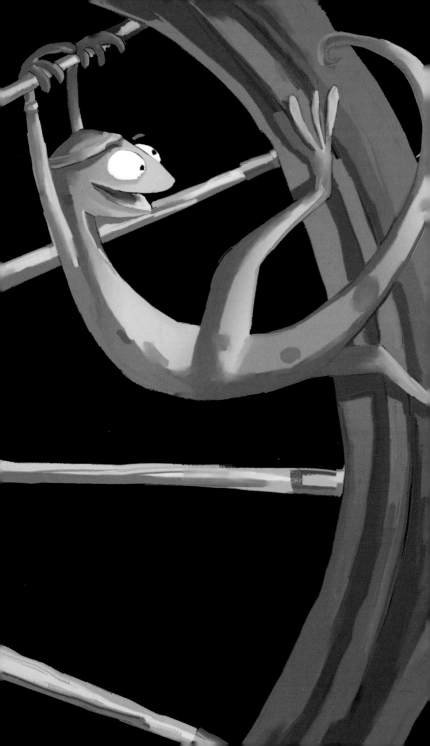

Las casas cambiaron, pero los vecinos siguen siendo los mismos. Algunos reconstruyeron sus hogares. Nueve Patas tejió la más hermosa telaraña que nadie haya visto jamás. Hasta las tórtolas lo admiten.

Ahora todos los animales viven en armonía.

Casi todos, porque nadie ha vuelto a ver a Malvaduca. Y la verdad, nadie la extraña.

Se terminó la impresión de esta obra en mayo de 2008
en los talleres de Editorial Progreso, S. A. de C. V.
Naranjo No. 248, Col. Santa María la Ribera
Delegación Cuauhtémoc, C. P. 06400, México, D. F.